Serpiel

Serie "Datos curiosos sobre los reptiles para niños"

Escrito por Michelle Hawkins

Serpiente

Serie " Datos curiosos sobre los reptiles para niños "
Por: Michelle Hawkins
Versión 1.1 ~Junio 2022
Publicado por Michelle Hawkins en KDP

Las serpientes no pueden crear calor corporal por sí mismas.

Algunas serpientes hibernan durante los meses de invierno.

Hay más de 600 tipos de serpientes venenosas.

Las serpientes de mar son de la misma familia que las cobras.

Las serpientes son venenosas y no son venenosas.

La ofiofobia es el miedo a las serpientes.

Para almacenar energía, las serpientes descansan bajo un árbol.

Las serpientes huelen el aire cuando quieren cazar.

Una serpiente taipán de la isla tiene suficiente veneno para golpear a 80 personas.

El tipo de serpiente más característico es la serpiente voladora.

Las serpientes no tienen oído externo.

Las serpientes ponen huevos o dan a luz a crías vivas.

Las serpientes sólo comen carne.

Corn Snake Morphs es una serpiente amigable para tener como mascota.

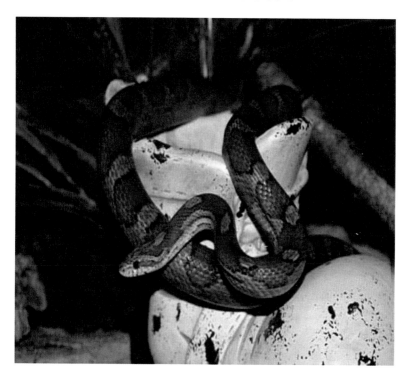

La serpiente más común es la serpiente de liga.

Hay más de 60 tipos diferentes de serpientes marinas.

Para que una Serpiente siga creciendo, mudará su piel.

La serpiente más rápida en golpear es la Víbora de la Muerte, con 0,15 segundos.

La vida media de una serpiente es de 10 a 40 años.

Cuando las Serpientes hibernan, se llama hibernacula.

Cuanto más caliente está el cuerpo de la serpiente, más fácil es digerir la comida.

Quedan menos de 100 de la serpiente de carrera de Santa Lucía.

Las serpientes no tienen párpados.

Las serpientes disfrutan permaneciendo en un lugar y esperando a su presa.

La serpiente más venenosa es la serpiente taipán del interior.

Los dientes de una Serpiente le dan un buen agarre a su presa.

Algunas serpientes se deslizan por el aire como si volaran.

Los dientes de una Serpiente le dan un buen agarre a su presa.

Algunas serpientes se deslizan por el aire como si volaran.

Las serpientes se tragan su comida entera.

En la época de los dinosaurios, las serpientes tenían patas como los lagartos.

La pitón bola es fácil de cuidar.

Cuando una serpiente sisea, es su mecanismo de defensa.

El cascabel de la serpiente de cascabel está hecho de queratina, como las uñas humanas.

Las serpientes son carnívoras y se alimentan principalmente de pequeños animales.

Las serpientes no tienen labios.

Una serpiente se compone principalmente de costillas.

Las serpientes se encuentran en la tierra y en el agua.

Las serpientes utilizan el órgano de Jacobson, situado en el paladar, para percibir los olores.

Las serpientes pueden tener hasta 400 costillas.

Las serpientes pueden mudar su piel hasta seis veces al año.

Las serpientes pueden pasar hasta un año sin comer.

El reptil del estado de Massachusetts es la serpiente de liga.

Las serpientes pueden pasar hasta un año sin comer.

El reptil del estado de Massachusetts es la serpiente de liga.

La mangosta es inmune al veneno de las serpientes.

Las serpientes utilizan los músculos del vientre para moverse.

Las serpientes protegen sus ojos con tapas oculares.

La mandíbula de una serpiente es muy flexible.

Hay serpientes de todas las formas, tamaños y colores.

Los colmillos de una serpiente son más largos y afilados que sus dientes normales.

Las serpientes pueden comer un animal más grande que ellas.

Las serpientes proceden originalmente de los lagartos hace más de 150 millones de años.

Las serpientes Brachminy Blindsnakes son las únicas serpientes hembras.

Hay más de 3.600 especies diferentes de serpientes.

Los labios de las Serpientes no se mueven.

Las cinco principales serpientes venenosas del mundo son la taipán del interior, la serpiente de frente oriental, la taipán de la costa, la serpiente tigre y la serpiente tigre negra.

La serpiente más popular del mundo es la pitón de bola.

Las serpientes tienen un hueso del oído interno para oír.

El veneno de la serpiente es la forma en que sobreviven.

La serpiente más pequeña del mundo es la serpiente de hilo de Barbados.

Las serpientes sacan la lengua para oler el aire.

Los colmillos de una serpiente siempre vuelven a crecer.

Más de 500.000 personas en Estados Unidos tienen una serpiente.

Los colmillos de una serpiente pueden estar situados en la parte delantera o trasera de la boca.

Cuando una serpiente de cascabel muda su piel, añade un anillo a su cascabel.

Las serpientes necesitan el calor del exterior para crear su temperatura corporal.

Las serpientes tratarán de alejarse primero antes de atacar a los humanos.

Las serpientes pueden hacer caca a la orden.

Hay veinte familias diferentes de serpientes.

Las serpientes utilizan su boca para crear succión para beber agua.

Algunas serpientes pueden exprimir a sus presas hasta la muerte.

Las serpientes no se encuentran en el continente de la Antártida.

Los dientes de una serpiente son pequeños y curvados.

Hay 250 razas de serpientes que pueden matar con un solo golpe.

La mamba negra puede moverse hasta doce millas por hora.

La columna vertebral de la Serpiente es muy flexible.

La Mamba Negra puede golpear hasta doce veces continuamente.

La serpiente más larga del mundo es la pitón reticulada.

Las serpientes se defienden escuchando el sonido y la vibración del suelo.

La víbora escamosa de sierra es la que más mata a las personas cada año.

La serpiente anaconda puede comer un ciervo.

Las serpientes son de sangre fría y pueden regular la temperatura para gastar muy poca energía.

Para que una serpiente esté sana, necesita hacer de 6 a 30 comidas al año.

Las serpientes son un símbolo de fertilidad, medicina y renacimiento.

Algunas serpientes tienen dientes o colmillos; otras tienen ambos.

La cabeza de una serpiente puede morderte aunque parezca muerta.

Encuéntrame en Amazon en:
https://amzn.to/3oqoXoG

y en Facebook en: https://bit.ly/3ovFJ5V

Otros libros de Michelle Hawkins

Datos curiosos sobre aves para niños.

Datos curiosos sobre frutas y verduras

Datos curiosos sobre los animales pequeños

Datos curiosos sobre perros para niños.

Datos curiosos sobre dátiles para niños.

Datos curiosos sobre los animales del zoo para niños

Datos curiosos sobre animales de granja para niños

Datos curiosos sobre animales acuáticos para niños.

Datos curiosos sobre los pequeños animales salvajes para niños

Datos curiosos sobre caballos para niños

Datos curiosos sobre los insectos para niños

Datos curiosos sobre los reptiles para niños

Aprender sobre el dinero para niños.

El 10% de todos los beneficios se dona a World Vision en https://rb.gy/cahrb0

Made in the USA
Columbia, SC
02 August 2022

64469437R00020